# Cómo hacer una manga de viento

### Escrito por Ellen Tarlow
### Ilustrado por Tracy Sabin
### Versión en español por Queta Fernandez

Text copyright © 2004 by Scholastic Inc.
Illustrations copyright © 2004 by Tracy Sabin.
Spanish translation copyright © 2004 by Scholastic Inc.
All rights reserved. Published by Scholastic Inc.
Printed in the U.S.A.

ISBN 0-439-68470-6

SCHOLASTIC and associated logos and designs are trademarks and/or registered trademarks of Scholastic Inc.

2 3 4 5 6 7 8 9 10    23    12 11 10 09 08 07

## SCHOLASTIC INC.
### New York  Toronto  London  Auckland  Sydney
### Mexico City  New Delhi  Hong Kong  Buenos Aires

Yo tengo una bolsa.

Yo tengo una tijera.

Yo tengo creyones.

Yo tengo tiras
de papel.

Yo tengo cordel.

6

Nosotros tenemos mangas de viento.

**M SCHOLASTIC**

w w w . s c h o l a s t i c . c o m

ISBN 0-439-68470-6

90000>

9 780439 684705